W9-BXY-418

Table des matières

Chapitre 1	« Miaou! »	1
Chapitre 2	La vie avec un chat	11
Chapitre 3	Quelques problèmes	21
Chapitre 4	L'oubli	39
Chapitre 5	Le retour	51

Lis un autre livre de la série DRAGON!

DRAGON
et le gros chat

Dav Pilkey

Texte français d'Isabelle Allard

SCHOLASTIC

Pour Thrity Umrigar
et ses chats

Catalogage avant publication de Bibliothèque et Archives Canada

Titre: Dragon et le gros chat / Dav Pilkey, auteur et illustrateur ;
texte français d'Isabelle Allard.
Autres titres: Dragon's fat cat. Français
Noms: Pilkey, Dav, 1966- auteur, illustrateur.
Description: Mention de collection: Dragon ; 2 |
Traduction de : Dragon's fat cat.
Identifiants: Canadiana 20190157291 | ISBN 9781443180672 (couverture
souple) Classification: LCC PZ23.P5565 Drg 2020 | CDD j813/.54—dc23

Édition publiée par les Éditions Scholastic, 604, rue King Ouest,
Toronto (Ontario) M5V 1E1 CANADA.

5 4 3 2 1   Imprimé en Chine 62   20 21 22 23 24

Conception graphique du livre : Dav Pilkey et Kirk Benshoff

MIXTE
Papier issu de
sources responsables
FSC® C020056

FSC
www.fsc.org

1
<< Miaou! >>

Lors d'une journée enneigée
de janvier, Dragon entend un
drôle de bruit.

— Miaou!

— On dirait un chat, dit Dragon.

Il ouvre la porte et regarde dehors.

Dans le jardin couvert de neige,
il voit un gros chat gris.

— Bonjour, petit chat, dit Dragon.
Entre à l'intérieur pour te réchauffer.

Mais le gros chat n'entre pas.
Il reste dans la neige et dit :
— Miaou!

Un peu plus tard, Dragon entend un autre
drôle de bruit.

— Miaou!

— C'est encore ce chat, dit Dragon.

— S'il te plaît, entre à l'intérieur pour te réchauffer, dit Dragon.

Mais le gros chat n'entre pas.
Il reste dans la neige et dit :
— Miaou!

La journée passe, et Dragon n'entend plus de drôles de bruits.

Quand il regarde dehors, il ne voit pas le gros chat.

Tout ce qu'il voit, c'est une couche de neige avec une grosse bosse au milieu.

— Oh non! dit Dragon. Il y a quelque chose qui ne va pas.

Dragon se précipite dehors pour enlever
la neige sur la bosse.

Il creuse et creuse jusqu'à ce qu'il trouve
le gros chat.

— Tu viens avec moi, déclare Dragon.

Et il amène le chat frigorifié dans la maison.

2
La vie avec un chat

Après avoir passé quelques heures près
du feu, le gros chat se sent beaucoup
mieux. Il est maintenant sec et au chaud.

Il s'assoit sur les genoux de Dragon et se
met à ronronner.

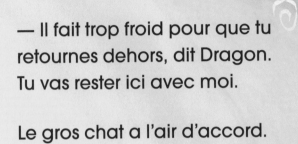

— Il fait trop froid pour que tu
retournes dehors, dit Dragon.
Tu vas rester ici avec moi.

Le gros chat a l'air d'accord.

14

— Si tu restes avec moi, il faut que je te donne un nom.

Dragon essaie de penser à un nom pour le gros chat.

— Je vais t'appeler Chat, dit-il.

Chat est un très bon nom pour un chat.

— Si tu vis chez moi, dit Dragon,
tu auras besoin d'un lit.

Alors, Dragon prend un gros panier
brun et le tapisse de couvertures.

Il écrit le nom de Chat sur le panier.

Dragon dépose le lit de Chat par terre,
près de son propre lit.

— Aimes-tu ton nouveau lit?
demande-t-il à Chat.

Mais Chat est déjà endormi.

Et bientôt, Dragon s'endort aussi.

3
Quelques problèmes

Dragon aime vivre avec Chat,
et Chat aime vivre avec Dragon.

Mais Dragon ne sait pas
comment prendre soin de Chat.

Il ne sait pas comment le dresser.

C'est un problème.

Dragon ne sait pas comment nourrir Chat.

C'est un gros problème.

Dragon ne sait pas quoi faire de toutes les
flaques jaunes que Chat laisse sur son passage.

C'est un sale problème.

Dragon essaie de montrer à Chat comment utiliser les toilettes.

Mais Chat ne comprend pas.

Un jour, la souris qui livre le courrier
frappe à la porte.

— Pouah! dit-elle. Cette maison empeste!

— Je sais, répond Dragon. Mon chat a
un problème de propreté.

— Il te faudrait une boîte, dit la souris.
Tu dois lui montrer où vont les saletés.
Cela réglera ton problème.

— Une boîte? répète Dragon.
C'est une bonne idée.

COURRIER

29

Dragon et Chat vont au bord de la route et remplissent une boîte de saletés.

Ils apportent la boîte à la maison.

Maintenant, la maison sent **très** mauvais.

Dragon ne sait pas quoi faire.

— Allons à l'animalerie, dit-il.

Dragon et Chat montent dans la voiture
et roulent jusqu'à l'animalerie.

— Je dois acheter des articles pour mon chat, dit Dragon.

— Comment s'appelle-t-il? demande la truie vendeuse.

— Chat, répond Dragon.

— C'est un bon nom pour un chat, dit la truie.

— Je l'ai trouvé moi-même, répond Dragon.

La gentille truie explique à Dragon comment prendre soin d'un chat.

Elle lui montre comment le nourrir.

Elle lui montre même comment régler son problème d'odeur.

Dragon achète beaucoup de choses pour Chat.

Il sort du magasin avec tout ce qu'il lui faut...

sauf une chose.

4
L'oubli

Quand Dragon arrive chez lui,
il prépare tout pour Chat.

Il remplit des bols d'eau
et de nourriture.

Il remplit une boîte de litière.

Il éparpille des jouets sur le
plancher.

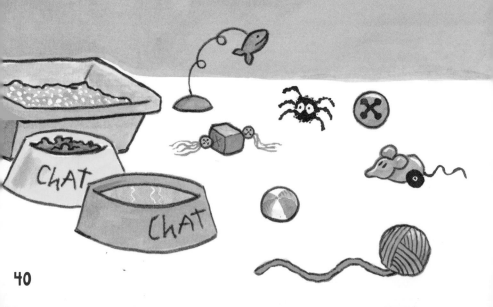

Cependant, Dragon a une drôle
d'impression.

— Je crois que j'ai oublié quelque chose.

Tout à coup, il se rappelle ce
qu'il a oublié.

— Chat! s'écrie-t-il. Je t'ai laissé
là-bas!

43

Dragon prend une lampe de poche et sort dehors pour chercher Chat.

— Chat! Chat! crie-t-il.

Mais Chat est introuvable.

Dragon cherche durant toute la nuit,
mais il ne trouve pas Chat.

Dragon s'assoit sur une vieille
boîte en bois et se met à pleurer.

Il a perdu son chat.

Soudain, il entend un drôle de bruit.

— Miaou!

Dragon regarde autour de lui,
mais ne voit pas Chat.

Finalement, il regarde dans la boîte...
et aperçoit Chat.

Mais Chat n'est pas seul.
Au fond de la boîte, cinq petits
chatons sont blottis contre Chat.

— Tu as eu des bébés! dit Dragon.
Comme c'est mignon!

Dragon prend la boîte et l'apporte
dans sa chaleureuse maison.

5
Le retour

Plus tard, cette nuit-là, Dragon trouve de bons noms pour tous les chatons.

Il fabrique cinq petits lits et écrit les noms dessus.

Dragon dépose les lits des chatons près de son lit.

— Aimez-vous vos nouveaux lits? leur demande-t-il.

Mais les chatons sont déjà endormis.

Et bientôt, Dragon s'endort
aussi.

À propos de l'auteur

Dav Pilkey est le créateur des séries à succès *Super Chien* et *Capitaine Bobette*. Il a écrit de nombreux autres livres pour enfants, dont ceux de la collection *Ricky Ricotta et son robot géant*. Il vit dans la région du Nord-Ouest Pacifique avec sa femme.

DESSINE DRAGON!

1 Trace une courbe et la lettre « C » à l'envers. Elles doivent se rejoindre.

2 Ajoute les yeux et les narines de Dragon, puis dessine deux cornes sur sa tête.

3 Dessine la tête et le dos de Chat.

4 Ajoute les oreilles et la face de Chat.

5 Dessine le dos, la queue
et le bras de Dragon.
Donne-lui un sourire.
Il serre Chat contre lui!

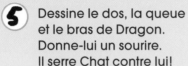

6 Ajoute des épines le long
du dos et de la queue de
Dragon. Dessine sa patte
et celles de Chat.

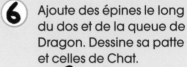

7 Dessine les moustaches et
la queue de Chat. Ajoute
l'autre patte de Dragon.

8 Colorie ton dessin!

Raconte une histoire!

Dragon apprend que prendre soin d'un animal demande beaucoup de travail.

Imagine que **tu** as un nouvel animal de compagnie.

Comment en prendrais-tu soin?

Comment Dragon et Chat pourraient-ils t'aider?

Écris et illustre ta propre histoire!

Extra!

Essaie d'inventer une histoire et de l'illustrer comme le fait Dav... avec de l'aquarelle! Dav a appris par lui-même à peindre à l'aquarelle quand il a créé ce livre. Il est allé au supermarché, a acheté un ensemble d'aquarelle pour enfants et s'en est servi pour peindre toutes les illustrations de la série *Dragon*.